Merci à Benjamin, Gaël, Guilhem, Karine, Louise, Michel, et la famille,
pour leur chaleureux soutien.

Loi n° 49-956 du 16 juillet 1949 sur les publications destinées à la jeunesse
ISBN : 9791091330343 - Dépôt légal : février 2017
Imprimé sans hésiter chez Pollina à Luçon, en France, L79103
Cet album a bénéficié de l'aide de la région Nouvelle Aquitaine

Jérémie Decalf

J'hésite

Hmmm...

Une forêt?

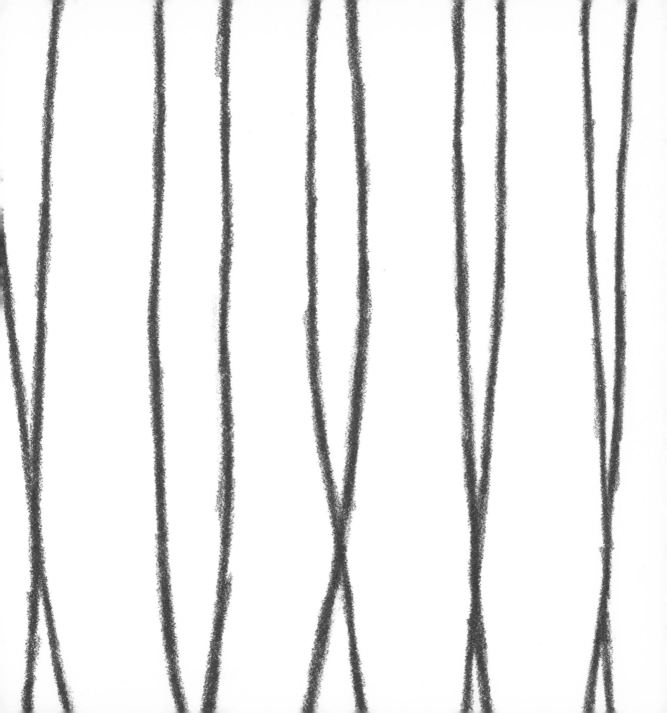

Non, une jungle !

Avec des fleurs,

des vers de terre

et un zèbre

qui mangerait
       des spaghettis.

Il y aurait la mer aussi.

Et à l'envers,

ça ferait de la pluie.

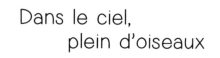

Dans le ciel,
        plein d'oiseaux

et au bout,

un coucher de soleil.

Oh, oh…

Attention à la tempête !

… Fffffouuuuuuuuushhhhhh !

Mais quand même,